C0-AMU-339

그린이 | 론 브룩스

론 브룩스는 1948년에 오스트레일리아 빅토리아에서 태어났습니다. 다양한 분야에서 이력을 쌓은 그는 오스트레일리아 어린이 책 협의회에서 주는 올해의 그림책 상과 ABPA 시각 예술상을 수상했고, 그 동안 그린 그림책으로는 ≪버클리 강의 괴물≫ ≪존 브라운, 장미 그리고 한밤의 고양이≫ ≪늙다리 돼지≫ 등이 있습니다. 지금은 태즈마니아에서 부인과 세 아들과 함께 살면서 부인과 함께 공동 작업하는 시리즈 책을 기획하고 있습니다.

옮긴이 | 서애경

한국 외국어 대학교 스페인어학과를 졸업하고, 지금은 어린이 책 기획과 번역 일을 하고 있습니다. 옮긴 책으로는 ≪피튜니아, 공부를 시작하다≫ ≪피튜니아, 여행을 떠나다≫ ≪마이크 멀리건과 증기 삽차≫ ≪영혼의 새≫와 크로켓 존슨의 '헤럴드' 시리즈, ≪세상에서 가장 멋진 요리사≫ 등이 있습니다.

벨 이마주 18

내게도 동생이 생긴대요

· 2002년 4월 10일 1판 1쇄 발행 · 2003년 10월 10일 1판 3쇄 발행
· 글쓴이/줄리아 맥클랜드 · 그린이/론 브룩스 · 옮긴이/서애경
· 펴낸이/김덕기 · 펴낸곳/JDM(주)중앙출판사(서울 특별시 마포구 염리동 172-11) · 등록/제10-99호(1972년 5월 11일)
· 영업부/TEL/02)717-2301 FAX/02)717-2302 · 편집부/TEL/02)714-0756 FAX/02)716-1369
· 홈페이지/www.joongangbook.com · 이메일/joongang@joongangbook.com
· ISBN 89-451-1870-5 77840 · ISBN 89-451-1894-2 (set)
· This Baby

내게도 동생이 생긴대요

줄리아 맥클랜드 글/론 브룩스 그림/서애경 옮김

앤드루는 엄마 무릎 위에 앉는 걸 좋아했어요.
하루는 앤드루가 엄마 무릎에 앉으려고 하는데 뭔가 이상했어요.
엄마의 무릎이 없어져 버린 거예요. 앤드루가 칭얼거렸어요.
"엄마, 무릎이 어디 간 거야?"
엄마는 부풀어오른 배를 쓰다듬으며 말했어요.
"우리 아기가 태어나면 곧 돌아올 테니……, 걱정하지 마라."
앤드루가 말했어요.
"난 자기 전에 항상 엄마 무릎에 앉았단 말이야.
우리 아기가 내 자리를 빼앗아 갔어!"
아빠가 앤드루를 끌어안아 올리면서 말했어요.
"이리 와서 아빠랑 같이 앉자."
하지만 앤드루는 사납게 아빠한테서 몸을 뺐어요.
"난 가서 잘 거야."
앤드루는 이렇게 말하면서 발을 쾅쾅 굴렀어요.

다음 날 아침, 식탁에서 앤드루가 말했어요.
“우리 아기…… 돌려 보내 버리면 안 돼요?”
아빠가 말했어요.
“그럴 수는 없단다. 어쨌든 우리 아기가 태어나면
너도 아기를 예뻐하게 될 거야.”
엄마가 말했어요.
“우리 아기라고 부르지 말았으면 좋겠어요.
이름을 좀 지어 주자고요.”

앤드루는 아기 이름을 곰곰이 생각했어요. 앤드루가 물었어요.
"걔는 여자야, 남자야?"
엄마가 대답했어요.
"아직 잘 몰라."
"이 같은 것도 났어요?"
"갓날 때는 없어."
"그럼 합죽이라고 불러요."
"앤드루, 그건 좋은 이름이 아닌 것 같구나."

"머리카락은 있어요?"
"별로 없어."
"그러면 대머리라고 부르는 건 어때요?"
아빠가 앤드루의 손을 잡았어요.
"얘야, 말 좀 곱게 할 수 없겠니?"

유치원에서, 선생님이 식구 그림을 그려 보라고 했어요.
앤드루는 엄마 아빠를 그리고, 그 사이에
엄마 아빠 손을 붙잡고 있는 자기를 그렸어요.
선생님이 앤드루의 그림을 보고 말했어요.
"네가 새 식구를 얼른 보고 싶은 거로구나."

앤드루가 말했어요.
“아녜요. 절대로 아니에요.”
선생님이 물었어요.
“왜 아냐?”
“엄마 아빠한테는 이미 내가 있는걸요. 그런데 왜 또 아기를 원하겠어요?”
선생님이 말했어요.
“너랑 같이 놀 사람이 생기는데도?”
앤드루가 말했어요.
“아, 그렇구나.”

엄마가 집에 돌아오자 앤드루가 물었어요.
“우리 아기가 나랑 달리기 시합 할 수 있어요?”
엄마가 말했어요.
“두 살은 먹어야 할 거야. 아기들은 뛰기 전에 걷기부터 배워야 한단다.”
앤드루가 투덜댔어요.
“아기들은 재미 없어.”
엄마가 말했어요.
“우리 아기는 절대 재미 없지 않을 거야! 아니, 이런! 내가 또 우리
아기라고 부르고 있구나. 아빠가 이름을 생각해 놓았는지 모르겠다.”

앤드루의 아빠는 아기 방에서 아기 침대에 페인트 칠을 하고 있었어요. 앤드루는 골이 잔뜩 나서 소리쳤어요.
"그건 내 침대야!"
아빠는 앤드루에게 붓을 쥐어 주었어요.
"이 몽니쟁이야, 바보 같은 소리 그만하고 아빠 좀 도와 다오. 아기 침대는 아기한테만 맞는 거야. 너는 다 컸으니까 더 큰 침대를 쓰는 거고."
앤드루는 붓을 바닥에 내팽개쳤어요.
"난 하기 싫어. 그리고 난 몽니쟁이가 아니야!"
그러더니 페인트 통을 발로 차고는 문으로 뛰어갔어요.

앤드루가 방을 나가기 전에 아빠가 앤드루를 붙잡았어요.
“앤드루! 네가 한 짓 좀 봐라! 대체 왜 그러니?”
앤드루는 손을 호주머니에 꾹 집어넣고, 고개를 푹 숙이고,
입을 꼭 다물고 서 있었어요. 그러다가 큰 소리로 훌쩍거렸어요.
아빠가 말했어요.
“이런, 우리 털북숭이, 뭐가 문제인지 아빠한테 말해 보렴.”
“난 우리 집에 아기가 생기는 게 싫어. 내 장난감을 망가뜨리고,
내 책도 다 찢는단 말이에요.”
앤드루는 여전히 훌쩍거렸어요.
“모두모두 아기만 예뻐해요.”
아빠가 말했어요.
“하지만 아기는 예뻐해 줘야 해.”
앤드루가 말했어요.
“나는 그렇게 예뻐하지 않았잖아요.”
“앤드루, 널 낳기 전에 엄마랑 아빠가 널 얼마나 예뻐했다고.
너는 우리 집 첫 아기였단다. 넌 굉장히 특별했어.”
앤드루가 말했어요.
“난 아빠가 나도 이렇게 예뻐했다고 생각하지 않아.”
아빠가 말했어요.
“네가 태어나기 전이라서 넌 모르는 거야.”
앤드루가 말했어요.
“아, 그래요.”

하지만 앤드루는 여전히 마음이 꼬였어요. 심심하기도 했지요.
앤드루는 엄마가 거실에서 발을 들고 앉아 있는 것을 보고 물었어요.
"엄마, 나랑 집짓기놀이 할래요?"
엄마가 한숨을 쉬었어요.
"지금은 안 돼, 앤드루. 우리 아기가 너무 무거워서 엄만 피곤하구나."
앤드루는 발을 쾅쾅 굴렀어요.
"멍청한 아기가 우리 집을 다 망치고 있어!"

엄마가 놀라서 말했어요.
"이 녀석, 해도 너무하는구나. 당장 네 방으로 가서
그 버릇 고칠 때까지 나오지 마."
앤드루는 엄마에게 악을 썼어요.
"좋아, 그럴 거야! 난 죽을 때까지 거기 있을 거야!
절대로 안 나올 거야! 내가 거기서 죽어 버리면 엄만 속상하겠지!"
앤드루는 거실 문을 거칠게 쾅 닫았어요.

앤드루는 제 방 방문은 더 세게 닫았어요.
너무나 화가 나서 곧 폭발해 버릴 것 같았어요.
꾸물꾸물한 조그만 괴물이 자꾸만 머릿속에 떠올랐어요.
괴물은 소름끼치는 웃음을 웃었어요.
괴물은 계속 히히 웃으면서 앤드루의 장난감을 몽땅 내던지고
책을 물어뜯었어요.
앤드루는 침대 위에서 펄쩍펄쩍 뛰며 소리쳤어요.
"꺼져! 누가 너보고 여기 오랬어! 멍청이 아기…… 꺼지란 말이야!"

엄마 아빠가 달려왔을 때, 앤드루는 침대에 얼굴을 묻고
엉엉 울고 있었어요. 엄마 아빠는 부드럽게 앤드루를 돌려 일으켜
앉혔어요. 그리고 앤드루가 울음을 그칠 때까지 꼭 껴안아 주었지요.
엄마가 말했어요.
"앤드루, 내 말 좀 들어 볼래? 엄마랑 아빠가 너한테 뭘 좀 설명해야
할 것 같구나. 네가 태어났을 때 엄마랑 아빠는 우리 둘밖에 없었단다.
우리를 도와서 너를 돌봐 줄 사람도, 너랑 놀아 줄 사람도,
너를 가르쳐 줄 사람도 없었어."
아빠가 말했어요.
"우리 새 아기는 엄청 운이 좋은 거야. 네가 친구가 되어 줄 테니까
말이다. 할 줄 아는 게 하나도 없는 가엾은 아기가 이 낯선 세상에
태어나면 어떤 느낌이 들지 한번 생각해 보렴."

앤드루는 울음을 그쳤어요. 그리고 아기가 되면 어떤 느낌이
드는 것일까 생각해 보려고 애를 썼지요. 걷지도 못하고,
말도 못 하고, 배가 고파도 혼자서는 먹지도 못하면 어떻게 될까?
엄마가 말했어요.
"감기에 걸려도 코를 풀지 못한단다. 너는 할 수 있는 일을
모두 다 배워야만 해. 앤드루, 우리 아기는 네가 있어야 해.
네가 도와 줄 거라고 대답해 주렴."
앤드루는 그 괴물을 잊었어요. 대신 자기가 작고 힘 없는 아기가 되어
아기 침대에 누워 있는 걸 생각해 보았어요. 어쩌면 그 아기도
지금 앤드루처럼 때때로 화가 나고 심심했을지도 몰라요.
앤드루가 말했어요.
"아기가 되는 것은 그렇게 좋은 건 아닌 것 같아요."

며칠 후, 앤드루의 엄마가 물었어요.
"우리 아기가 태어나면 뭐라고 부를 건지 결정했니?"
"네, 난 우리 아기를 배움쟁이라고 할 거예요.
왜냐 하면요, 아기는 배워야 할 게 많으니까요."
엄마가 말했어요.
"멋진 이름이구나. 유모차에 깔 방석을 짜야겠는데, 우리 배움쟁이가
무슨 색을 가장 좋아할까?"
앤드루가 말했어요.
"배움쟁이는 아주아주 여러 가지 색깔을 좋아할 거예요. 빨강이랑,
파랑이랑, 초록색이랑, 노랑색이랑, 그리고 자주색하고 주황색도
조금 있어야 해요."
엄마가 말했어요.
"그렇구나."

아빠가 아기 방 꾸미는 걸 다 마쳤어요.
"좋아, 다 됐다. 또 생각나는 거 없니?"
아무 말 없이, 앤드루는 밖으로 나갔어요.
그리고 작고 조금 낡은 담요를 가지고 돌아왔어요.
앤드루는 그것을 아기 침대에 깔았어요.
아빠는 깜짝 놀랐어요.
"하지만 앤드루…… 그건 네 거잖니!"
"이젠 배움쟁이한테 줄 거예요."

유치원에서 그림을 그리는 시간에 앤드루는 식구 그림을 새로 그렸어요. 늘 그리던 대로 엄마 아빠 사이에 자기가 서 있었지요. 하지만 이번에는 기저귀를 차고 있는 아기도 동그랗고 커다랗게 그려 넣었어요. 집에 돌아왔을 때, 앤드루는 로빈 고모가 와 있는 것을 보고 깜짝 놀랐어요. 앤드루가 물었어요.
"우리 엄마는 어디 갔어요?"
고모가 말했어요.
"아기 낳으러 병원에 갔어. 아빠도 같이 갔단다. 네가 나랑 잘 지낼 수 있을지 걱정이다."

앤드루가 말했어요.
“나, 오늘 그림을 그렸는데 잘 됐다, 이걸 배움쟁이한테 줘야지.”
로빈 고모는 그 그림을 보고 빙그레 웃었어요.
“넌 우리 아기에게 아주 근사한 형이 되겠구나.”
앤드루가 말했어요.
“우리 아기 아니에요. 배움쟁이예요.”
고모가 물었어요.
“뭐라고?”

앤드루와 고모가 병원에 도착했을 때 간호사가 와서 금방 아기가 태어났다고 알려 주었어요.
"축하합니다! 딸입니다."
간호사는 작고 햇빛 밝은 방으로 앤드루와 고모를 데려갔어요.
엄마는 아기를 안고 침대에 누워 있었어요.
앤드루는 살금살금 다가가 새로 태어난 여동생을 지켜 보았어요.
아기는 아주아주 쪼끄맸지요.

아기는 눈도 제대로 뜨지 못했어요.
빰은 발그레했고, 코도 납작했어요.
앤드루는 세상에 갓 나온 아기가 그렇게 생긴 게 좀 서운했어요.

앤드루는 아기를 자세히 들여다보다가 아기 손목에 채워진 꼬리표를 발견했어요. 앤드루가 엄마에게 물었어요.
"그건 뭐예요?"
엄마가 말했어요.
"아기가 너한테 보내는…… 글이야."
앤드루가 물었어요.
"나한테! 뭐라고 써 있어요?"
아빠가 꼬리표를 보고 글자를 한 자 한 자 짚으면서 소리내어 읽어 주었어요.
"안녕, 앤드루 오빠. 내 이름은 제인이야."

그리고 나서 꼬리표를 뒤집어서 뒷면을 읽었어요…….

‘하지만 날 배움쟁이라고 불러도 좋아.’

-----작품에 대하여-----

≪내게도 동생이 생긴대요≫는 어느 가정에서나 있을 법한 이야기를
아이의 심리에 맞춰 재미있게 그린 작품입니다.
앤드루는 곧 태어날 동생 때문에 심술이 잔뜩 나 있습니다.
엄마 아빠의 관심이 온통 아기한테만 가 있기 때문이지요.
자기가 혼자 독차지하던 사랑을,
이제는 곧 태어날 동생한테 빼앗길 처지에 놓인 거예요.
그래서 엄마한테 해서는 안 될 아주 심한 말도 하고,
아빠 앞에서 물건을 집어던지는 과격한 행동도 서슴지 않습니다.
하지만 엄마 아빠는 그런 앤드루의 마음을 너그럽게 받아 줍니다.
온갖 꾀를 내어 결국 앤드루와 곧 태어날 동생 사이를
행복하게 화해시키지요.
이 그림책은 우리의 일상에서 흔히 일어날 수 있는 일을
과장되지 않게 사실 그대로 표현하면서도
귀엽고 따뜻한 느낌을 주고 있습니다.

이런 점도 일깨워 주세요

1. 이 이야기에는 부모의 사랑을 빼앗길 처지에 있는 첫째 아이의 심리가 아주 잘 나타나 있습니다. 때때로 유아용 그림책에 이런 과격한 표현을 쓸 필요가 있을까 하는 내용도 있지만, 오히려 그런 표현 때문에 이야기에는 생동감이 철철 넘치고 있습니다. 그런 생동감을 느끼면서 아이와 함께 재미있게 읽을 수 있을 것입니다.
2. 이 이야기에는 부모가 앤드루의 심술을 충분히 이해해 주려는 마음이 잘 나타나 있습니다. 모든 아이들은 자기 외에는 생각하지 못하는 이기적인 면을 갖고 있습니다. 그런 아이들을 상대하려면 앤드루의 부모와 같이 참을성 있게 이해해 주려는 마음이 필요하리라 봅니다.
3. 첫째 아이와 둘째 아이가 있는 집이라면 이 그림책에 나오는 앤드루의 심술은 현재 진행형의 문제일 것입니다. 첫째 아이의 반응을 잘 살피며 이 이야기의 요소 요소에서 설명을 덧붙여 준다면 부모의 마음을 이해할 수 있지 않을까요?

옮긴이 리뷰

엄마 뱃속에서 자라는 동생 때문에 자기 자리인 엄마의 무릎을 빼앗기고, 부모의 관심이 온통 새 아기의 탄생에 맞춰진다면 아이는 어떤 기분이 들까요? 이 그림책은 동생이 생기게 되는 아이의 정서 변화를 아주 정직하게 보여 주고 있습니다. 부모에 대한 아이의 반발심을 상징적으로 표현하지 않고 직설적으로 격렬하게 표현합니다. 앤드루는 자기는 죽을 때까지 방에서 안 나올 거고, 자기가 죽어 버려서 엄마를 속상하게 하고 싶다고 소리칩니다. 심지어 동생이 장난감을 파괴하고 동화책을 물어뜯는 괴물로 보이기도 합니다. 형제나 남매 간의 갈등과 시샘을 다룬 고전 그림책 하면 얼른 떠오르는 것이 키츠의 ≪피터의 의자≫나 알리키의 ≪나도 아프고 싶어!≫입니다만, 여기 나온 아이들의 시샘이란 아이들이 보기에도 차라리 얼마나 사랑스러운지요. 이 두 그림책에서 보여 주고 있는 정서적으로 세련된 상냥함만이 아이들의 현실일까요? 동생을 맞는 아이들의 마음의 현실이 정말 어떨까 하는 질문을 가지고 이 그림책을 동생이 갓 생겼거나 이제 생길 아이와 함께 보면 좋을 것 같습니다.

JDM중앙출판사에서는 독자 여러분들의 진솔하고도 소중한
서평을 토대로 보다 좋은 책을 만들고자 합니다.
감사의 마음을 전하기 위해 홈페이지에
독자 서평을 올리시는 분들께는 매월 우수작을 선정하여
JDM중앙출판사에서 펴낸 책을 보내 드립니다.

· 홈페이지/www.joongangbook.com
· 이메일/joongang@joongangbook.com